Con AMOR

AMOR de abuelita

Escrito por MISTY BLACK
Ilustrado por MARINA BATRAK
Traducido por NATALIA SEPÚLVEDA

Berry Patch Press
MistyBlackAuthor.com

Amor de abuelita

Colección Con AMOR

Para obtener permiso de la editorial, visitas escolares y lecturas de cuentos/firmas, contáctenos a mistyblackauthor@gmail.com.

Escrito por Misty Black

Ilustrado por Marina Batrak

Traducido por Natalia Sepúlveda

ISBN Tapa rústica: 978-1-951292-34-8

ISBN Tapa dura: 978-1-951292-35-5

ISBN Audiolibro: 978-1-951292-59-1

Library of Congress Control Number: 2020950531
(Número de control de la Biblioteca del Congreso)

Primera Edición 2021

Berry Patch Press, LLC. Clearfield, Utah.

Berry Patch Press

www.MistyBlackAuthor.com

Dedicado a mi madre, a mis abuelitas y a las abuelitas de mis hijos.

—*Misty*

Я посвящаю и дарю эту книгу своей любимой бабушке Полине Павловне

--*Marina*

Traducido de la versión en inglés:

Grandmas Are for Love:

With Love Collection

Los fines de semana con mi abuelita son muy divertidos.

Siempre me reciben con un abrazo cariñoso.

Ella me enseña cómo hornear pasteles.

Saben mejor de lo que huelen.

Nos encanta jugar a la pelota, aunque esté lloviendo.

Después entramos a la casa para calentarnos
y acurrucarnos al lado de la chimenea.

Los paseos en carro son súper divertidos...

...especialmente cuando inventamos canciones graciosas.

Es una deliciosa sorpresa cuando paramos a comprar helado.

¿Crees que debería compartirlo
con mi cotorrita?

Mi abuelita me cuenta historias cuando caminamos juntos. Me encanta conocer más sobre su vida de cuando era pequeña. Se parecía mucho a mí.

Mi abuelito es muy bueno asando malvaviscos. Me alegro de que le guste compartir conmigo.

Me encanta jugar con mi abuelita. A veces, la dejo ganar.

¡Pero esta vez no!

Mi abuelita me enseña que
es importante dar gracias
por todo lo que tenemos.

Después de cenar, hacemos una competencia de construir fuertes con mantas.

Yo gano y me toca reinar.

Una buena manera de terminar el día es acurrucándonos junto a un libro emocionante.

Pero, no puedo ir a dormir sin los abrazos y besitos de las buenas noches.

Lo más difícil es decir adiós. Lo bueno es que mi abuelita es buena secando lágrimas.

Las cartas de abuelita siempre son una sorpresa divertida.

Cariño, aquí te envío muchos abrazos. Quisiera enviarte pasteles.
XOXO

Mi abuelita es la mejor. Aunque estemos lejos, sé que ella me quiere mucho. ¡Y yo la quiero mucho también!

Querido/a______________,

Me encanta compartir contigo. Mi tiempo favorito es cuando__________.

Me haces reír cuando____________

_______________________________.

Las cosas que me encantan sobre ti:

____

____

____

____

____

____

Tú + Yo = Amor

No puedo esperar hasta que__________.

Recuerda que siempre____________.

Con mucho cariño,

____

www.MistyBlackAuthor.com

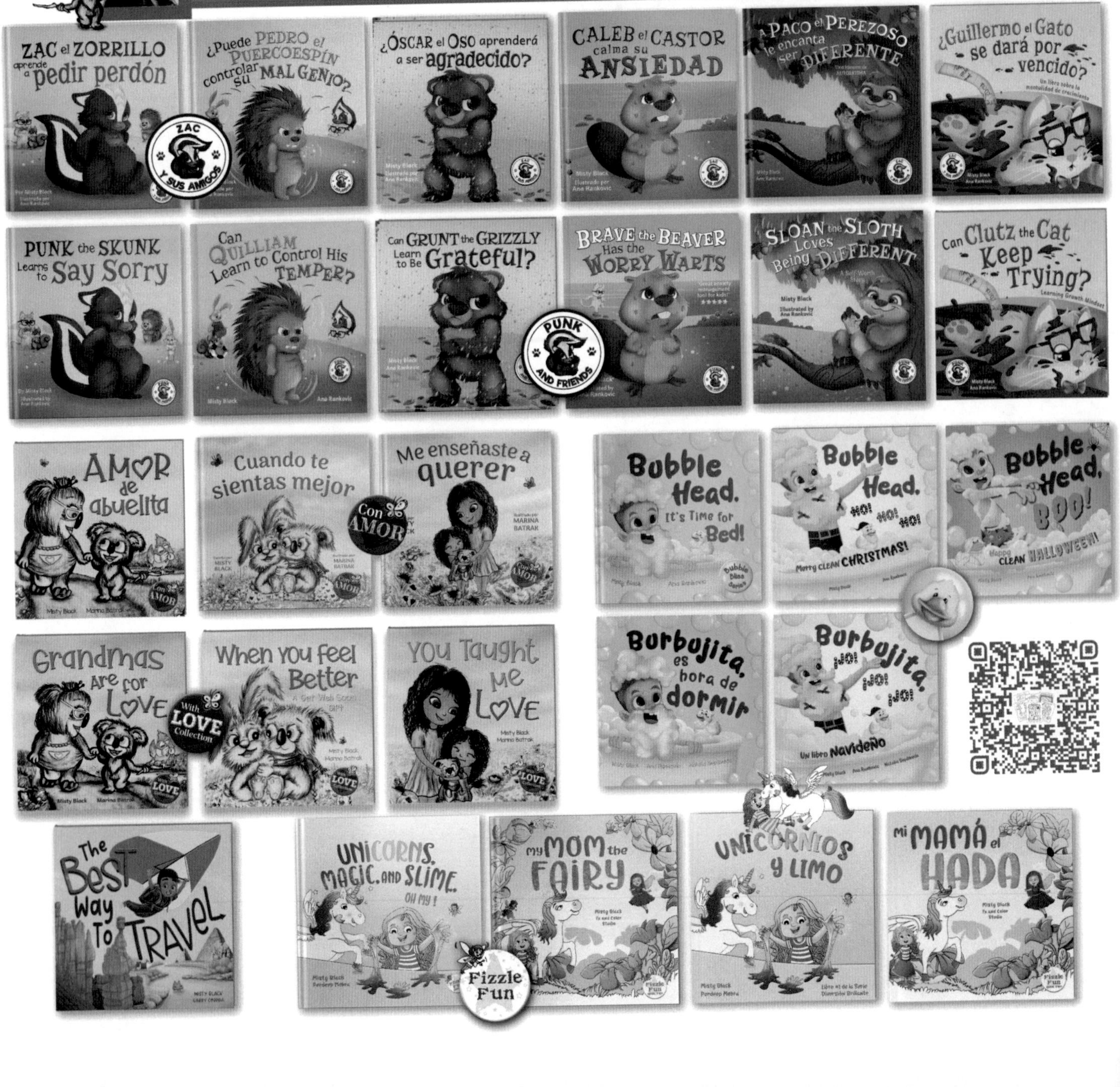
ZAC el ZORRILLO aprende a pedir perdón
ZAC Y SUS AMIGOS
¿Puede PEDRO el PUERCOESPÍN controlar su MAL GENIO?
¿ÓSCAR el OSO aprenderá a ser agradecido?
CALEB el CASTOR calma su ANSIEDAD
A PACO el PEREZOSO le encanta ser DIFERENTE
¿Guillermo el Gato se dará por vencido?
PUNK the SKUNK Learns to Say Sorry
Can QUILLIAM Learn to Control His TEMPER?
Can GRUNT the GRIZZLY Learn to Be Grateful?
PUNK AND FRIENDS
BRAVE the BEAVER Has the WORRY WARTS
SLOAN the SLOTH Loves Being DIFFERENT
Can Clutz the Cat Keep Trying?
AMOR de abuelita
Cuando te sientas mejor
Con AMOR
Me enseñaste a querer
Bubble Head, It's Time for Bed!
Bubble Head, HO! HO! HO! Merry CLEAN CHRISTMAS!
Bubble Head, BOO! Happy CLEAN HALLOWEEN!
Grandmas Are for Love
With LOVE Collection
When You Feel Better
You Taught Me Love
Burbujita, es hora de dormir
Burbujita, ¡JO! ¡JO! ¡JO! Un libro Navideño
The Best Way To Travel
UNICORNS, MAGIC, AND SLIME. OH MY!
My MOM the FAIRY
Fizzle Fun
UNICORNIOS y LIMO
Mi MAMÁ el HADA

La genealogía es el aprender sobre los miembros de tu familia que vivieron antes de ti. Cuando conoces sobre sus vidas, aprendes más sobre ti y tu familia.

Preguntas para conocer:

¿Dónde te criaste?

¿Cómo era tu vida allí?

¿Cómo eran tus papás?

¿Cuál fue tu primer trabajo?

¿Qué hacía tu familia para divertirse?

¿Cómo eran tus papás cuando eran pequeños?

¿Qué diferencias hay en el mundo ahora comparado a cuando eras pequeño/a?

Mi árbol familiar

Sobre la autora:

Misty Black cree en la importancia de la familia y las tradiciones familiares. Algunas de sus memorias favoritas son de su infancia junto a sus abuelitos.

Nota de la autora:

"Me encanta saber de mis lectores. Por favor considera enviarme un correo electrónico o dejar una reseña honesta. Aprecio mucho su apoyo". mistyblackauthor@gmail.com

¡Únase a la lista VIP de Misty para ofertas y promociones en www.berrypatchpress.com y reciba un libro electrónico GRATIS!

Sigue a Misty en las redes sociales en @mistyblackauthor.

Sobre la ilustradora:

El arte, la pintura y la creatividad son la vida de Marina. Le encanta dibujar desde el momento en que aprendió a sostener un lápiz. Le encanta tomar fotografías, tocar el piano, hacer álbumes de recortes y arreglar flores.

Made in the USA
Las Vegas, NV
14 November 2023

80843008R00024